Este libro pertenece a:

Imaginación

Editado por Scholastic Inc., 90 Old Sherman Turnpike, Danbury, CT 06816

SCHOLASTIC y los logotipos asociados son marcas de producto y/o marcas registradas de Scholastic Inc.

0-439-90514-1

Título del original en inglés: Exploring We Go!

Traducción de Daniel A. González y asociados

Impreso en Estados Unidos de América

Primera impresión de Scholastic, septiembre de 2006

¡Vamos a explorar!

por

Kitty Fross

ilustrado por

Gregg Schigiel

SCHOLASTIC INC.

Nueva York Toronto Londres Auckland Sydney

Ciudad de México Nueva Delhi Hong Kong Buenos Aires

—¡Qué día tan perfecto
para salir de exploración!
—pensó Uniqua con alegría—. ¡Qué bueno que
soy una valiente exploradora!
Mientras caminaba hacia su barco, Uniqua
pensaba en todos los lugares que podía explorar.

—¡Quiero plantar mi bandera
en tierras donde nadie haya
estado antes! —, afirmó Uniqua.
Miró su mapa de exploradora.
—Y esto debe decirme
exactamente cómo llegar ahí.

Mientras navegaba, Uniqua cantaba:

Voy en barco a explorar
donde nadie ha estado antes.
Pasaré el sol y la luna
más vale pronto que tarde.
La estrella más lejana
pasaré si es preciso
alejarme tanto, tanto
para encontrar ese sitio.
¡Qué día tan hermoso
para salir a explorar!

Uniqua navegó hasta que el sol quedó atrás. Entonces, llegó con su barco a una playa frente a una selva densa. —Esta selva es muy sombría y salvaje, ¡dudo que alguien haya estado aquí antes! —dijo Uniqua.

Uniqua caminó un poco y estaba a punto de plantar
su bandera. —¡Esto fue fácil! —dijo con una carcajada.

   —¿Qué cosa fue fácil? —preguntó una voz que venía
de quién sabe dónde.

   —¿Quién está ahí? —gritó Uniqua.

—Soy Pablo, el explorador de la selva —respondió Pablo
mientras salía de atrás de unas grandes hojas. —Bienvenida
a Pablovia.

—Yo nunca he oído hablar de Pablovia —dijo Uniqua.

—Eso es porque yo la acabo de descubrir —admitió Pablo.

11

—Bueno, estoy buscando un lugar donde nadie haya estado antes. Así que supongo que será mejor que siga explorando —dijo Uniqua, dando la vuelta para volver a su barco.

—Iré contigo —Se ofreció Pablo—. Soy muy bueno para encontrar lugares donde nadie ha estado antes.

Así que Pablo y Uniqua levaron anclas cantando:

Vamos en barco a explorar
donde nadie ha estado antes.
Sol y luna pasaremos
más vale pronto que tarde.
La estrella más lejana
pasaremos si es preciso
alejarnos tanto, tanto
para encontrar ese sitio.
¡Qué día tan hermoso
para salir a explorar!

Uniqua y Pablo navegaron hasta que la luna quedó atrás.
Luego dirigieron el barco a la costa y desembarcaron a la
orilla de un glaciar.

—Este glaciar no parece haber sido descubierto —
observó Uniqua.

Estaban a punto de plantar la bandera de Uniqua cuando
una sombra se cernió sobre ellos.

—¿A ti te parece que es la sombra de un monstruo de nieve? —susurro Pablo nervioso.

Se dieron vuelta muy lentamente.

—¡Monstruo de nieve! —gritó Pablo— ¡Sálvate! ¡Corre!

Pero antes de que pudieran correr, el monstruo de nieve se quitó su capucha peluda. —Esperen, no soy un monstruo de nieve —explicó— soy Tyrone el explorador glaciar.

—¿Ya has descubierto este glaciar? —preguntó Uniqua.

—Así es —respondió Tyrone—. ¡Bienvenidos a Tyronia!

Uniqua suspiró —Creo que tendré que seguir
buscando un lugar donde nadie haya estado antes.

—Yo iré con ustedes —Se ofreció Tyrone—.
Si somos tres exploradores probablemente lo
encontraremos ¡tres veces más rápido!

De regreso en el barco los tres exploradores cantaron:

Vamos en barco a explorar
donde nadie ha estado antes.
Sol y luna pasaremos
más vale pronto que tarde.
La estrella más lejana
pasaremos si es preciso
alejarnos tanto, tanto
para encontrar ese sitio.
¡Qué día tan hermoso
para salir a explorar!

Los exploradores navegaron hasta que llegaron a una playa lejana. Luego caminaron por varios kilómetros hasta que llegaron a un oasis.

—Este oasis está en el medio de la nada —exclamó Uniqua—. ¡Estoy segura de que nadie ha estado aquí antes!

Pero cuando estaban a punto
de plantar la bandera de Uniqua,
escucharon una voz —¡Ey! ¿Qué
están haciendo en mi oasis?

—¿Tu oasis? —repitió Uniqua.

—Así es. Lo descubrí hace diez minutos —
respondió Tasha la exploradora del desierto.

—Parece que tendremos que seguir explorando —dijo Tyrone.

Pero Uniqua sacudió la cabeza. —Hemos navegado hasta el final del mapa. Nunca encontraremos un lugar donde nadie haya estado antes. Me voy a casa —dijo.

—Iremos todos contigo —dijo Tasha comprensivamente.

Así los cuatro exploradores volvieron al barco. Navegaron y navegaron hasta que llegaron de nuevo a donde Uniqua había empezado.

Después de caminar un rato, el grupo se detuvo a descansar.

—Lamento que no hayas encontrado lo que estabas buscando —dijo Pablo.

—¡Pero al menos encontraste tres amigos! —añadió Tasha con alegría.

Justo en ese momento, Uniqua vio una enorme flor que flotaba sobre su cabeza. ¡Guao, que maravilla! —murmuró—, ¡nunca había visto una flor como esta! Supongo que yo nunca antes había estado en este claro.

—Ni yo —dijo Tyrone.

—Ni yo tampoco —dijo Pablo.

—Hubiera recordado una flor como ésta —afirmó Tasha.

—Un momento . . . si ninguno de nosotros ha estado aquí antes, ¡apuesto a que nunca nadie ha estado aquí! —señaló Tyrone.

—Tienes razón —exclamó Uniqua—. ¡Creo que lo que estaba buscando, estaba aquí, en mi propio patio!

Y así Uniqua plantó, finalmente, su bandera.

Fundamentos de Aprende jugando de Nick Jr.™

¡Las habilidades que todos los niños necesitan, en cuentos que les encantarán!

colores + formas	Reconocer e identificar formas y colores básicos en el contexto de un cuento.
emociones	Aprender a identificar y entender un amplio rango de emociones: felicidad, tristeza, entusiasmo, frustración, etc.
imaginación	Fomentar las habilidades de pensamiento creativo a través de juegos de dramatización y de imaginación.
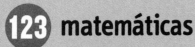 **matemáticas**	Reconocer las primeras nociones de matemáticas del mundo que nos rodea: patrones, formas, números, secuencias.
 **música + movimiento**	Disfrutar el sonido y el ritmo de la música y la danza.
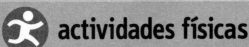 **actividades físicas**	Promover coordinación y confianza a través del juego y de ejercicios físicos.
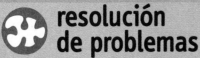 **resolución de problemas**	Usar habilidades de pensamiento crítico (observar, escuchar, seguir instrucciones) para hacer predicciones y resolver problemas.
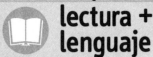 **lectura + lenguaje**	Desarrollar un amor duradero por la lectura a través del uso de historias, cuentos y personajes interesantes.
ciencia	Fomentar la curiosidad y el interés en el mundo natural que nos rodea.
 **habilidades sociales + diversidad cultural**	Desarrollar respeto por los demás como personas únicas e interesantes.

Imaginación

Estímulo de conversación

Preguntas y actividades para que los padres ayuden a sus hijos a aprender jugando.

¡No tienes que ir muy lejos para explorar! Trata de encontrar algo que no habías notado antes en tu propio cuarto, en el patio de tu casa o en el parque del vecindario.

Para encontrar más actividades para padres e hijos, visita el sitio Web en inglés www.nickjr.com.